Pipo

Pitou

Youpi

Boum

De bon matin,
la monitrice Caroline et ses petits amis
montent dans l'autocar.
C'est la joie du départ pour
le camp de vacances du lac Bleu.

PIERRE PROBST

Caroline
en vacances

HACHETTE
Jeunesse

A la fin du jour, Caroline et ses amis arrivent au lac Bleu. Filles et garçons les accueillent par une chanson ; la directrice, elle, se gratte le menton, car elle attendait des enfants et non des animaux. Qu'à cela ne tienne ! Ces nouveaux vacanciers seront traités comme les autres. Ils ont l'air si sympathiques.

Après une nuit sous la tente, on ne se ressent plus des fatigues du voyage. Un plongeon dans le lac, ça réveille ; un bol de chocolat et des croissants croustillants, ça fait du bien.

«Laissez-m'en ! crie Boum sous sa barbe de mousse. Youpi a pris toute l'eau de la douche, je n'arrive plus à me rincer...»

« Respirez… Toussez… Faites A… Tirez la langue… a dit le docteur, puis il a ajouté : Ourson en parfaite santé ! Au suivant ! »

Si Boum est rassuré, Pitou s'inquiète : sa langue est-elle bien rose ? Et Bobi, n'a-t-il pas un peu de fièvre ? Mais non ! Tous deux se portent comme des charmes et bientôt ils pourront courir, sauter, jouer tant qu'ils voudront. Vivent les vacances !

Et en avant pour la promenade en forêt, la cueillette des champignons, la partie de balançoire ! On marche sur la mousse toute douce, on entend craquer les feuilles sèches sous ses pas et chanter les oiseaux dans le bois. C'est la joie… sauf quand on s'assied sur une fourmilière et qu'on se fait piquer le derrière, sauf quand on est accueilli à grands coups de bec par une maman pic furieuse d'avoir été dérangée par un petit curieux.

Boum a perdu ses boutons dans le bois : pour un peu, il perdait aussi son pantalon ! Kid a marché sur des épines : il soigne de son mieux ses pattes endolories. Et Noiraud ? Il ne s'est déguisé ni en Indien ni en maharadjah : il cache sous ce bandage ses blessures.

« Tu as été trop curieux, lui dit le petit lion.

– Et toi, trop distrait ! Tu as perdu la partie ! » répond Noiraud qui, malgré ses bosses, ne perd pas la tête.

Pendant ce temps, leurs amis jouent à colin-maillard.

« Je t'ai attrapé ! crie Pouf, tout content. Mais qui es-tu ? Pas Youpi, son nez est plus petit. Pas Pipo, son museau est moins gros…

– Regarde ! » lui disent ses amis en se tordant de rire.

Vite Pouf fait tomber son bandeau et pousse un hurlement auquel Sabine, la grosse vache blonde, répond par un meuglement.

Soudain, trois coups de sifflet : il est l'heure de déjeuner !

Comme c'est agréable de déjeuner en plein air ! Ces spaghetti semblent délicieux… mais qu'il est difficile de les déguster ! On les saisit, ils s'échappent. On les pique, ils se dérobent. On les enroule, ils glissent. Ah oui, c'est tout un art que d'arriver à manger des spaghetti !

C'est l'heure de la sieste. Mais personne n'a envie de dormir. Pitou joue un air de guitare, Kid montre à Boum d'amusantes photos de famille, Pipo se fait une beauté. Caroline tend le bout de son nez et oblige ses petits amis à se reposer. Il fait encore trop chaud dehors pour sortir.

La bataille de polochons fait rage et, en plein été, il neige
des flocons… de plume ! Mais soudain apparaît la directrice
qui s'écrie :

« Pour vous calmer, allez vous baigner ! »

« Mais n'aie pas peur, Noiraud ! s'exclame Kid.

— L'eau est trop froide ! proteste le chaton. Et j'ai horreur des bains glacés, tu le sais bien.

— C'est le premier plongeon qui coûte ! » s'écrie Boum.

Et, zip !, il se laisse glisser sur le rocher : à l'eau, il va tomber. Plouf ! Plouf ! Plouf ! Les plongeons se succèdent, les photographies aussi. Seront-elles réussies ?

La nuit est venue, tout le monde s'est endormi. Tout à coup, un craquement, un couinement, et puis des cris, des hurlements. Quelle panique ! Quelle fuite éperdue… à cause d'un petit campagnol qui avait envie de se faire de nouveaux amis !

«En voilà, des héros ! se moque Caroline. Revenez, et tâchez de dormir, car demain, nous devrons être en forme pour notre grande soirée d'adieu au camp du lac Bleu !»

Kid

Bobi

Noiraud

Pouf

Dépôt légal n° 82161 - Janvier 2007
22.1985.5/20
ISBN : 978-2-0101-0435-0
Imprimé en France par I.M.E. - 25110 Baume-les-Dames
Loi n° 49-956 du 16 juillet 1949 sur les publications
destinées à la jeunesse